S ... ARY
S0-BKU-667
SACRAMENTO, ... 4
11/2022

万能解码表

十大案件

少年大侦探·福尔摩斯探案笔记

Textes: Sandra Lebrun
Illustrations: Loïc Méhée

〔法〕桑德哈·勒布伦 编
〔法〕洛伊克·梅黑 绘
李尧 译

海天出版社
HAITIAN PUBLISHING HOUSE
·深圳·

内容导航

十大案件

人物介绍

夏洛克·福尔摩斯
私家侦探

华生医生
福尔摩斯永远的朋友

悠悠
福尔摩斯的宠物

雷斯垂德探长
苏格兰场最好的探长之一

赫德森太太
福尔摩斯的房东

莫里亚蒂教授
和福尔摩斯势不两立的敌人

使用说明
福尔摩斯和华生医生需要你的帮助！

要帮助福尔摩斯他们，你得利用以下工具解开疑团：

1. 过滤镜

 用来观察那些隐藏的红色区域，也可用来核对答案。

2.显影卡

 发挥你的聪明才智，把显影卡完全覆盖在指定图片上，读取隐藏的信息。显影卡两面都可以使用，如果其中一面显示不出有用的信息，那就翻过来使用背面，也许答案就出现了！在每一个案件中，只有一个位置会显现答案。

3.万能解码表

 既是密码解读表，又是英文字母表和汉语拼音字母表。用来破译数字、英文字母、汉语拼音字母或者图形密码。

4. 不要忘记发挥你的演绎推断能力和观察识别能力！

   这些图例会提醒你需要使用其中某样或某几样工具。

 问号提醒你只须观察，或者开动脑筋思考！

每一个案件都由三个步骤组成：
①你要解答4~5个谜题，每解开一个谜题就能得到一条线索。
②把得到的线索汇集到每个案件的"真相大白"页上。
③集齐所有线索后，就可以采用排除法，帮助福尔摩斯破案。

准备好了吗？赶快翻到下一页吧！

福尔摩斯正等着你！

大英博物馆珍宝

大英博物馆的馆长慌了，因为一座极其珍贵的古埃及雕像被盗了。他们很快就通知福尔摩斯过来调查。轮到你出场帮福尔摩斯了！

❓ 谜题1

盗贼在逃离博物馆的时候碰倒了一排埃及花瓶。它们都摔碎了。根据裂口形状，把各个花瓶重新拼在一起。一共有多少个花瓶摔碎了？

答案

线索1

把你找到的数字写下来： ⋯⋯⋯⋯⋯

这是第一条线索。它能帮你排除第9页的一个物品。

因为这个案件，华生医生得以在博物馆欣赏那些稀世珍宝。他靠近一幅写满古埃及象形文字的巨大壁画，那里似乎有线索……

轮到你出场了！

拿出显影卡，看看怎么摆放可以同时在这幅画里找到6个图形符号，多一个少一个都不行。然后，借助万能解码表，找出对应的字母，再对照壁画下面的提示进行解密。

提示

请记住以下法语数字：
QUATRE（四）、TREIZE（十三）、QUINZE（十五）。

线索2

把你找到的数字写在这里：————————

这是你的第二条线索。它能帮你排除第9页的一个物品。

答案

忠诚的悠悠一直在帮忙查案。这一次，凭着灵敏的嗅觉，它来到两个石棺前。

睁大眼睛找找这两个石棺有多少处不同。

答案

线索3

把你发现的数字写下来：⋯⋯⋯⋯

这是第三条线索。它能帮你排除第9页的一个物品。

案件还在调查中，但福尔摩斯还是找不到任何蛛丝马迹。他询问了博物馆管理员，管理员低声回答了问题，非常谨慎。

要知道他说了什么，你需要拿出过滤镜，然后在万能解码表里找出和每个数字对应的拼音字母，加上声调，看看是什么词语。

管理员对福尔摩斯说了什么呢？

线索4

把你找到的展品写在这里：

这是你的第四条线索。它能帮你排除第9页的一个物品。

答案

我们已经接近答案了！福尔摩斯和华生医生把找到的信息集中在一起，研究所做的笔记。

该你出场了。把每个词语的拼音字母填进方格里，然后将彩色方格的字母按顺序排列，加上声调，你将发现一种神秘的痕迹。

这个词语是：

线索5

把你找到的痕迹写下来：

这是第五条线索。它能帮你排除第9页的一个物品。

大英博物馆珍宝
真相大白

福尔摩斯怀疑这又是一起跟莫里亚蒂有关的案件。只有一个方法可以证实：找到他的指纹！

收集第4~8页的线索，逐个排除，找出那个残留着盗贼指纹的展品。

答案

苏格兰场的警犬

犬舍的门大开着，苏格兰场的警犬都不知去向了。雷斯垂德探长当机立断，请求福尔摩斯调查警犬都到哪里去了。正好福尔摩斯对伦敦非常熟悉！

❓ 谜题 1

雷斯垂德探长正在向华生医生说明情况，并把自己唯一掌握的信息告诉他。把下面的词语组成一个句子，找到他给的信息。提示：第一个词语是"没有"。

店 有
只 在 犬
面 一 没
里 警
包

线索 1

雷斯垂德提到的地点是：
....

这是第一条线索。它能帮你排除第15页的一个地点。

🔍 答案

⑩

华生医生找来警犬的照片，以便辨认。

按照华生医生手上拿着的提示，把每只警犬的名字写到它的照片下面，再按顺序把它们名字的最后一个字按顺序组合在一起，就能找到线索。提示：你需要用到谐音字和同音字。

披头士在索博和马基布中间。

大人物在索博和指挥官中间。

指挥官有许多小斑点，披头士戴着红色项圈链。

线索 2

找到每只警犬名字的最后一个字后，看看能组成什么词组。把你发现的地点写下来：⋯⋯⋯这是你的第二条线索。它能帮你排除第15页的一个地点。

答案

11

福尔摩斯打开伦敦城的地图，想找出警犬可能出没的地方。

拿出你的显影卡，看看怎么摆放可以看到9个字母。这9个字母能组成一个英文地名。记得把地名翻译成中文。

你找到什么地方呢？

_____

线索 3

把找到的地方写下来：_____

这是第三条线索。它能帮你排除第15页的一个地点。

一阵大风突然刮进雷斯垂德探长办公室，把文件都吹飞了。雷斯垂德在捡起这些文件时发现了新线索。

观察白板上的词语，从地上的纸片中找出对应的拼音。最后剩下的拼音可以组成一个词语，它暗示了一个神秘地点。

最后剩下的拼音是什么？

线索 4

把你找到的神秘地点写下来：

这是你的第四条线索。它能帮你排除第15页的一个地点。

答案

　　悠悠在大街上发现一些它的同类留下的爪印。它仔细观察这些爪印，希望找到有用的信息。你也快用过滤镜看看这些爪印，如果真的有信息，快把它们写下来。

你在这些爪印里看到的拼音是什么？

线索5

把你通过拼音找到的地点写下来：

这是第五条线索。它能帮你排除第15页的一个地点。

 答案

14

苏格兰场的警犬
真相大白

福尔摩斯召集了苏格兰场全体人员来找警犬。他们需要在伦敦城的所有街道搜寻！

把你从第10~14页得到的线索全部集中起来，逐个排除，就能找出警犬所在的地方。

面包店

肉铺

伦敦眼

自然历史博物馆

白金汉宫花园

狗岛

线索1:

线索2:

线索3:

线索4:

线索5:

答案:

答案

尼斯湖水怪的秘密

难以置信！竟然有人拍到尼斯湖水怪的照片！这个新闻震惊了整个苏格兰地区。但是，福尔摩斯在看过照片后，马上发现它是假的。话又说回来，他也不知道这起诈骗事件的始作俑者是谁……他需要你的帮忙！

? 谜题 1

华生医生仔细地观察尼斯湖水怪的照片。水怪的尾巴好像能打好几个结。你能帮他数数能打多少个结吗？

 答案

线索 1

把你得到的数字写下来：_____

这是第一条线索。它能帮你排除第21页的一个嫌疑人。

16

报纸纷纷报道福尔摩斯的新案件。福尔摩斯在读报纸时发现一位当地记者在图片旁边给了一条线索。

要破解这条线索，你需要把每个字母都改成其在汉语拼音字母表的前一个字母（例如把b改为a），再加上声调。别忘了，万能解码表是你的好帮手！

线索的内容是什么？

线索2
把你找到的职业写下来：————————
————————这是你的第二条线索。它能帮你排除第21页的一个嫌疑人。

答案

早上，福尔摩斯搜查了尼斯湖纪念品店。

下午，他又去了那里，想看看有没有什么变化……

要发现变化并不容易，因为游客把东西都弄乱了！

带上你的过滤镜，看看货架最上层的商品是不是从早上到下午都在店里。

有没有什么东西被买走了？

答案

线索3

把你找到的物品写下来：...............

....

这是你的第三条线索。它能帮你排除第21页的一个嫌疑人。

福尔摩斯、华生、悠悠边吃饭边梳理案件。在看菜单的时候，福尔摩斯突然意识到只要拿出显影卡就能找到最后一条线索。这太简单了！如果把显影卡放在正确的位置，你就能找到福尔摩斯想要的答案，它由10个拼音字母组成。

★ **菜单** ★

bái zhōu

hù guó cài

shā dīng yú sū

huì lóng lì yú piàn

★

lán wén nǎi lào shā lā

★

rǔ lào píng guǒ jiàng pài

fǎ shì sōng bǐng

suàn xiāng hú luó bo miàn bāo

答案

线索 4

菜单里暗藏的编号是什么？
请写下来：
这是第四条线索。它能帮你排除第21页的一个嫌疑人。

尼斯湖水怪的秘密
真相大白

福尔摩斯召集景区的相关人员，他要一个个调查。

收集第16~20页的线索，逐个排除，找出伪造尼斯湖水怪照片的人。

王冠上的宝石

女王的王冠被盗了……然后又被放回原处。但是福尔摩斯没有上当，他马上发现王冠上的一颗宝石被换成假的了……究竟是哪一颗？赶快调查清楚，把它找回来吧！

? 谜题 *1*

福尔摩斯开始调查案件，他先询问工作人员。 厨师悄悄把一条线索放进餐具中。把各种餐具的数量填在表格里。

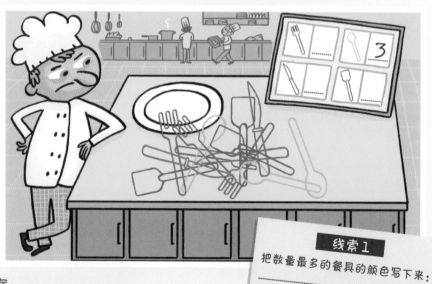

线索 1

把数量最多的餐具的颜色写下来：

这是第一条线索。它能帮你排除第27页的一种宝石。

答案

华生医生被王室收藏的珍贵宝石惊呆了。他一颗一颗地观察，发现这些宝石是按照某种逻辑顺序存放在珠宝盒里的。但是其中少了一颗。

拿起你的过滤镜，找出三颗宝石，并找出哪一颗应该放在珠宝盒里。

哪一颗宝石应该放在珠宝盒里呢？

线索2

把应该放进珠宝盒的宝石形状画下来：⋯⋯⋯⋯

这是你的第二条线索。它能帮你排除第27页的一种宝石。

 答案

　　悠悠在走廊里散着步，停在一扇彩绘大玻璃窗前。它突然跑去找福尔摩斯，想告诉他一条新线索。

　　在等福尔摩斯的时候，拿出你的显影卡，看看怎么摆放才能在彩绘大玻璃窗上看到同一种颜色。

你在彩绘大玻璃窗上看到什么颜色呢？

答案

线索3

把你看到的颜色写下来：

这是第三条线索。它能帮你排除第27页的一种宝石。

华生正在司机那边取证。他也许知道些什么。看看那些挂在工具旁边的词语，把它们的拼音填进方格里（提示：数一数每个词语的拼音含有多少个字母）。你将会发现一条线索。别忘了加上声调。

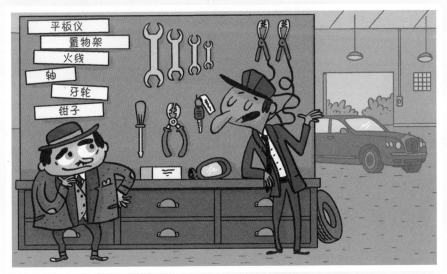

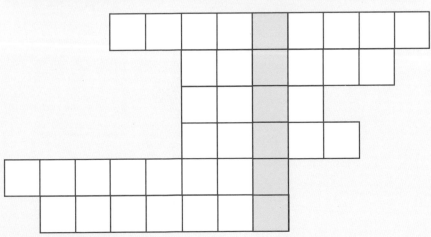

线索4

把你发现的颜色写下来：⋯⋯⋯⋯⋯⋯⋯

这是你的第四条线索。它能帮你排除第27页的一种宝石。

答案

王室总管请求见各位侦探，因为他有信息要告诉他们。

这条信息也是给你的！使用万能解码表，把总管提供的各个图形替换成对应的拼音字母，再加上声调。

总管说了什么？

 答案

 线索5

把你发现的宝石类型写下来：

这是第五条线索。它能帮你排除第27页的一种宝石。

王冠上的宝石
真相大白

福尔摩斯要好好发挥他的观察力和演绎能力，去找出被替换的宝石。他没有捷径可走，只能仔细地检查。

收集第22～26页的线索，逐颗排除，找出假宝石。

线索1：

线索2：

线索3：

线索4：

线索5：

答案：

答案

庄园幽灵

苏比拉伊男爵庄园自从传言有幽灵出没，就再也没有游客去参观。雷斯垂德探长请福尔摩斯来协助调查这个案件。你能帮他们吗？

? 谜题 *1*

福尔摩斯想点蜡烛看得更清楚一点儿，于是去找烛台。你能找到那个不能配成对的烛台吗？

线索 **1**

把不能配成对的烛台编号写下来：

这是你的第一条线索。它能帮你排除第33页的一个嫌疑人。

答案

地下室真阴暗！福尔摩斯什么都看不见。但是他必须在里面找到一条线索。

拿出你的过滤镜，仔细观察红色的区域。

你能看到多少个鞋印呢？

线索2

把你找到的数字写下来：——————

这是你的第二条线索。它能帮你排除第33页的一个嫌疑犯。

答案

进入苏比拉伊男爵的房间时，悠悠发现一张照片被撕碎了。把这些碎片拼成原来的照片，应该能找到一条线索。

还原照片，并按顺序把拼音字母写下来，组成一个词语。

这些拼音字母对应的词语是什么？

_____

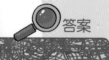 答案

线索3

把和拼音对应的词语写下来：

这是你的第三条线索。它能帮你排除第33页的一个嫌疑犯。

雷斯垂德探长也在追踪线索。他正在搜查书房，急需你的显影卡。

看看显影卡怎么摆放才能只显示7个拼音字母，它们拼出来的词语指向一个嫌疑人。

你找到的拼音对应什么词语呢？

答案

线索 4

把你找到的词语写下来：……………

这是你的第四条线索。它能帮你排除第33页的一个嫌疑犯。

谜题5

苏比拉伊男爵提醒华生，有一条线索可能在浴室的镜子上，但它是反着写的。

用一面镜子照向页面上的红色文字，看看你能从镜子里发现什么。

答案

线索5

把你找到的信息写下来：

这是第五条线索。它能帮你排除第33页的一个嫌疑犯。

庄园幽灵
真相大白

福尔摩斯压根不相信这个幽灵出没的故事。为了证明自己的看法，他一定要找出背后的骗子！

收集第28～32页的线索，逐个排除，找出假扮幽灵的人。

伦敦动物园骚乱

伦敦市民还是头一回见到这样混乱的场面：一群狐猴爬到大本钟上！是哪一个淘气鬼瞎胡闹，把动物园的笼子打开了……

雷斯垂德探长负责把这些狐猴全部抓回去，而福尔摩斯则负责调查这个案件。他需要你的帮助。

？ 谜题 1

把下列汉字排列成一个句子，看看狐猴说了什么。提示：第一个字是"我"，第三个字是"的"。

的　到　鹿　我　看　真　颈　长

线索 1

把狐猴提到的动物写下来：_____

这是你的第一条线索。它能帮你排除第39页的一个嫌疑人。

答案

 **谜题2**

因为得知这个消息，很多游客都跑到动物园看热闹……这下要找到制造混乱的人就更困难了！尽管如此，悠悠还是发现了一条线索。

拿起你的显影卡，看看怎么摆放可以看到5个相同的东西。

你看到了什么？

线索2

把你发现的东西写下来：

这是你的第二条线索。它能帮你排除第39页的一个嫌疑犯。

答案

福尔摩斯很想知道这扇禁止对外开放的大门后面有什么。

帮助福尔摩斯找到正确的路线，并把沿途遇到的拼音字母按顺序写下来。

这扇门是什么地方?

线索3

把你找到的地名写下来: ......

这是你的第三条线索。它能帮你排
除第39页的一个嫌疑犯。

答案

一名女游客朝华生走来。她表示自己看到了一些东西，想匿名指证……

快用你的过滤镜看看，就知道她对华生说了什么。借助万能解码表，把每个数字都替换为对应的拼音字母，再加上声调。

把你破译的信息写下来。

答案

38

线索4

把你发现的职业写下来：

这是第四条线索。它能帮你排除第39页的一个嫌疑犯。

案件 6

伦敦动物园骚乱
真相大白

为了找出那个放出动物园狐猴的人，福尔摩斯审问了相关的工作人员。果然，每个人都有不在场证据。但是，可以确定的是，有一个人在撒谎……利用镜子读读每个人的不在场证据。收集第34～38页的线索，逐个排除嫌疑人，找出制造混乱的人。

线索1:

线索2:

线索3:

线索4:

答案:

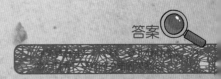

答案

泰晤士河困局

福尔摩斯乘游轮游泰晤士河，突然收到警报：一名男子把游轮船长软禁后潜逃了！警方开始抓捕犯人，福尔摩斯的任务是和你一起解救船长……

❓ 谜题 1

福尔摩斯找到六把钥匙，其中一把能打开驾驶舱。

仔细观察这些钥匙的齿形和锁孔形状，找出正确的钥匙。

线索 1

把驾驶舱的钥匙编号写下来：..........

这是你的第一条线索。它能帮你排除第45页的一把钥匙。

答案

在驾驶台上，福尔摩斯看到一张导航地图。

地图里隐含着一条线索。

拿起你的显影卡，看看怎么放置可以看到一个数字。

线索2

把你看到的数字写下来：⋯⋯⋯⋯⋯⋯

⋯⋯⋯⋯⋯⋯⋯⋯

这是你的第二条线索。它能帮你排除第45页的一把钥匙。

答案

华生医生正在审问一名见习水手，但是这名年轻水手说话含糊不清。

借助万能解码表，把图形替换为对应的数字或拼音字母，加上声调，看看见习水手说了什么。提示：第一个字是数字。

谜题 *4*

　　傍晚，悠悠在观赏泰晤士河日落。突然，它听到一阵海鸥的叫声……它们在哪里呢？

　　拿出你的过滤镜，放在每一个舷窗上。

你看到多少只海鸥呢？

线索 4

把你找到的数字写下来：

这是你的第四条线索。它能帮你排除第45页的一把钥匙。

答案

案件 **7**

泰晤士河困局
真相大白

　　多么可怕的玩笑，竟然把船长关起来！为了解救船长，福尔摩斯找到游轮的所有钥匙。

　　收集第40～44页的线索，逐一排除，找出能打开驾驶舱门的钥匙。

答案

华生的全家福画像

房东赫德森太太告知华生和福尔摩斯，他们的公寓被盗了。华生回去后却发现没有丢什么东西，除了装饰客厅的全家福画像被用赝品掉包了！一定要找到伪造者……

谜题 1

赫德森太太非常不安，跟华生说了她对这件事的想法……

想知道她说了什么，必须借助万能解码表，用对应的拼音字母替换对话框里的图形，再加上声调。

答案

线索 1

把你找到的信息写下来：

这是你的第一条线索。它能帮你排除第51页的一个画家。

福尔摩斯回家后，发现公寓被翻了个底朝天。他观察了现场，突然发现一条线索。

拿出你的显影卡，看看怎么摆放可以看到地上的颜料痕迹。你一次最多能看到多少块相同颜色的颜料痕迹？

线索2

把你找到的数字写下来：————————

这是你的第二条线索。它能帮你排除第51页的一个画家。

 答案

赫德森太太重新收拾屋子。她从抽屉"皮"开始整理。为了收拾下一个抽屉，她必须找到一个跟抽屉"皮"有相同物品的抽屉。接着，她要找到一个跟第二个抽屉有相同物品的抽屉。以此类推。按赫德森太太收拾抽屉的顺序，把各个字组合起来。

你得到的信息是什么？

答案

线索3

把你找到的人物称呼写下来：_____

这是你的第三条线索。它能帮你排除第51页的一个画家。

华生医生近距离观察全家福画像底部，用手电筒去找伪造者的签名。成功了！他找到一个字母！

把你的过滤镜放在被手电筒照亮的地方，找到这个字母。

在画像底部的伪造者签名中，你看到哪个拼音字母？

线索4

把你看到的拼音字母写下来：⋯⋯⋯⋯⋯

它能帮你排除第51页的一个画家。
这个画家名字的拼音里不包含这个字母。

答案

悠悠在下楼梯时，发现台阶上有一些数字。上面的数字是其下方两个数字之和。请把台阶上的数字都补充完整。

红圈内的数字是什么？

答案

线索5

把你找出的数字写下来：⋯⋯⋯⋯⋯

这是你的第五条线索。它能帮你排除第51页的一个画家。

案件 8

华生的全家福画像
真相大白

　　福尔摩斯让画家们自我介绍。他们都有可能是伪造者，而且伪造华生的全家福画像的画家一定在其中。收集第46~50页的线索，逐个排除，找出那个真正的伪造者。

穆哈拉加的茶叶

简直就是丑闻！穆哈拉加准备献给女王的茶叶竟然不翼而飞，只剩下空箱子！雷斯垂德探长马上让福尔摩斯去调查这个案件。这会跟莫里亚蒂有关吗？

? 谜题 *1*

穆哈拉加带着他的大象队赶来了。福尔摩斯仔细检查地上的大象脚印。其中有四个脚印是完全一样的。请找出那个与众不同的脚印。

哪个脚印跟其他四个脚印不一样呢？

线索 1

把不一样的脚印编号写下来：＿＿＿＿＿

这是你的第一条线索。它能帮你排除第57页的一个嫌疑人。

🔍答案

52

穆哈拉加跟福尔摩斯说他确定有一个嫌疑人是无罪的。把穆哈拉加所说的内容排列成一个句子，解读他提供的信息。

穆哈拉加说了什么？

线索2

把你找到的名字写下来：⋯⋯⋯⋯⋯⋯

⋯⋯⋯⋯⋯⋯⋯⋯⋯⋯⋯⋯⋯⋯⋯⋯

这是你的第二条线索。它能帮你排除第57页的一个嫌疑人。

答案

华生对大象的装扮赞不绝口。大象饲养员非常开心，为华生提供了一条可以推进调查的线索。

借助万能解码表，把数字替换为对应的拼音字母，加上声调，看看他说了什么，然后用过滤镜去追踪线索。

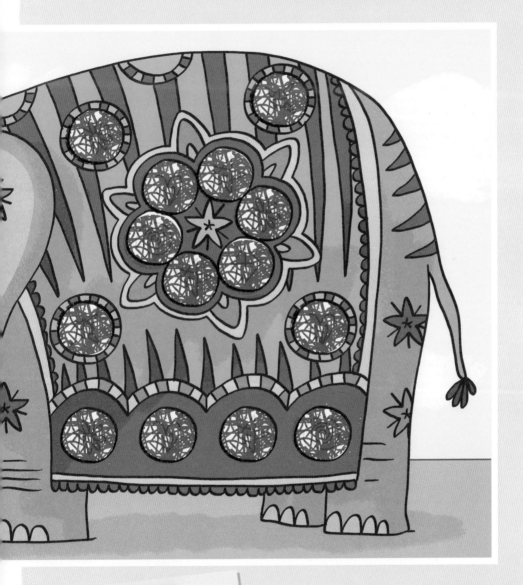

线索3

把你找到的数字写下来：⋯⋯⋯⋯⋯⋯⋯⋯⋯

这是你的第三条线索。它能帮你排除第57页的一个嫌疑人。

答案

福尔摩斯在摞得像一堵墙的货箱中找另一条线索。

拿出你的显影卡，看看怎么摆放可以显示一个由6个字母组成的英文单词。

线索4

把你找到的字母按从上到下的顺序写下来：_____

这是你的第四条线索。它能帮你排除第57页的一个嫌疑人。

答案

穆哈拉加的茶叶 真相大白

原来莫里亚蒂与这起盗茶案并无关联。似乎唯一与案件有关的是一头贪吃的大象。是哪一头呢？

收集第52~56页的线索，逐一排除，找出是哪一头贪吃的大象吃掉穆哈拉加献给女王的茶叶。

奖杯之谜

　　糟糕！这是今年最大型的橄榄球锦标赛，但是奖杯竟然不翼而飞了。雷斯垂德探长和他的团队必须在决赛前找回奖杯，并把罪犯绳之以法！他们需要支援！你准备好了吗？

 谜题 1

　　雷斯垂德探长提供了一个信息给福尔摩斯。借助万能解码表，将对话框中的图形替换为对应的拼音字母，加上声调。

线索 1

把你找到的军衔写下来：

．．．．．．．．．．．．．．．．．．．．．．．．．．．．．．．．．．．

这是你的第一条线索。它能帮你排除第63页的一个嫌疑人。

答案

悠悠在仔细听裁判宣布比赛开始。

拿出你的过滤镜，放到裁判传声筒前方的红色区域，看看他说了什么，然后把这些词语的拼音填到方格里。

裁判说了什么？

给蓝色栏显示的拼音字母加上声调，看看对应什么称呼。

线索2

把你找到的称呼写下来：⋯⋯⋯⋯⋯⋯⋯⋯

⋯⋯⋯⋯⋯⋯⋯⋯⋯⋯⋯⋯⋯⋯⋯⋯⋯⋯

这是你的第二条线索。它能帮你排除第63页的一个嫌疑人。

答案

华生借查案的机会也看了比赛。两名球员从他面前跑过，他们长得特别像，但还是有几处不同。

你能找出这两人有几处不同吗？

线索3

把你找到的数字写下来：

这是你的第三条线索。它能帮你排除第63页的一个嫌疑人。

尽管奖杯丢了,观众依然激情澎湃。福尔摩斯仔细观察这群球迷,发现里面可能有线索……

拿出显影卡,看看怎么摆放可以在观众席上只找到4个字。

线索 4

把你找到的名字写下来:⋯⋯⋯⋯⋯⋯⋯⋯

⋯⋯⋯⋯⋯⋯⋯⋯⋯⋯⋯⋯⋯⋯⋯⋯⋯

这是你的第四条线索。它能帮你排除第63页的一个嫌疑人。

成功了！悠悠找到奖杯了！其实……是一堆奖杯。现在要找出哪一个是真的。

体育馆门卫的描述可以引导你找到真的奖杯。

哪一个奖杯是真的？

答案

线索5

把你找到的奖杯编号写下来：

这是你的第五条线索。它能帮你排除第63页的一个嫌疑人。

奖杯之谜
真相大白

六个嫌疑犯排成一排，站在福尔摩斯面前。这次小偷绝对逃不了……收集第58~62页的线索，逐个排除，找出偷奖杯的小偷。

版权登记号 图字 19-2019-157 号

©Larousse 2018（Les 10 meilleures enquêtes de Sherlock Holmes）
The Simplified Chinese translation rights is arranged through RR Donnelley Asia
（www.rrdonnelley.com/asia）

图书在版编目（CIP）数据

十大案件 /（法）桑德哈·勒布伦编；（法）洛伊克·梅黑绘；
李尧译. — 深圳：海天出版社，2020.9
（少年大侦探·福尔摩斯探案笔记）
ISBN 978-7-5507-2838-7

Ⅰ.①十… Ⅱ.①桑… ②洛… ③李… Ⅲ.①智力游戏
Ⅳ.① G898.2

中国版本图书馆 CIP 数据核字 (2020) 第 013577 号

十大案件

SHIDA ANJIAN

出 品 人　聂雄前
责任编辑　陈少扬　吴一帆
责任技编　陈洁霞
责任校对　李　想
项目统筹　景雪峰
封面设计　朱玲颖

出版发行　海天出版社
地　　址　深圳市彩田南路海天综合大厦（518033）
网　　址　www.htph.com.cn
订购电话　0755-83460239（邮购、团购）
设计制作　深圳市童研社文化科技有限公司
印　　刷　中华商务联合印刷（广东）有限公司
开　　本　787mm×1092mm　1/16
印　　张　4.5
字　　数　40 千
版　　次　2020 年 9 月第 1 版
印　　次　2020 年 9 月第 1 次印刷
定　　价　39.80 元

版权所有，侵权必究。
凡有印装质量问题，请与本社联系。

你是不是把所有案件都解决了？
那么，是时候给你颁奖了！

最佳侦探奖状

表彰 ....

....

....

致以最诚挚的敬意！
苏格兰场，
和福尔摩斯　*Sherlock Holmes*